La pâtisserie

Texte de Stéphanie Ledu
Illustrations de Magali Clavelet

MiLAN

Pour **cuisiner un gâteau**, il faut : de la farine et des œufs, qui composent la pâte, du beurre, qui le rend moelleux, du sucre, pour lui donner du goût et le faire dorer.

Selon la **recette**, on ajoute du lait, du chocolat, des fruits, de la confiture ou des épices…

Il existe des centaines de gâteaux.
Lequel va-t-on faire aujourd'hui ?

Les petits pâtissiers ont sorti à l'avance les œufs et le beurre du frigo. Ils ont pesé et préparé tous les ingrédients... Rien ne manque ? Parfait !

Attention à bien suivre la recette,
à choisir le bon moule...
Et ne pas oublier de préchauffer
le four à la température indiquée.

Mmm, ça va bientôt
sentir bon dans
toute la maison !

7

À l'usine, les **pâtisseries industrielles** sont réalisées comme à la maison, mais par d'énormes machines.

La pâte est malaxée dans le mélangeur, puis découpée ou versée dans de **petits moules**.

Allez, les madeleines, au four !

Les gâteaux sont ensuite refroidis, puis dirigés vers la **chaîne d'emballage**.

Des robots attrapent les gâteaux,
les emballent et les mettent en boîtes.
Ils sont prêts à être croqués. Miam !

Les gourmands connaissent aussi
le chemin de la **boulangerie-pâtisserie**.
Dans les vitrines réfrigérées,
on voit souvent les mêmes gâteaux.

Lesquels as-tu déjà goûtés ?

On peut commander à son pâtissier
des gâteaux pour les grandes occasions... comme
un anniversaire ! Bûches, galettes, crêpes... Ceux-là
ne sont fabriqués qu'à certaines périodes de l'année.

13

Les douceurs ont une longue histoire.
Au **Moyen Âge**, on adorait déjà le pain
d'épice, les crêpes ou les beignets.
D'autres ont une origine amusante.

Vers 1850, un pâtissier s'écria à propos d'un nouveau
gâteau : « Il est si bon qu'il se mange en un **éclair** ! »
Le nom lui est resté.

Vers 1880, Stéphanie Tatin, qui tenait un hôtel-restaurant avec sa sœur, oublia de mettre la pâte sous ses pommes. Quelle étourdie ! Elle la posa dessus, pendant la cuisson... La tarte Tatin, célèbre tarte renversée, était née.

Visitons le laboratoire du pâtissier.
Il a besoin de beaucoup de matériel !

Chaque type de gâteau a sa pâte : battue,
brisée, sablée ou feuilletée... Savoir les faire
toutes, c'est la base du métier.

Gare à ne pas se tromper : non, non, petit apprenti, fraiser, ça n'est pas ajouter des fraises... C'est pétrir un bout de pâte avec la paume de la main.

Abaisser, foncer, napper... En cuisine, tous les gestes portent des noms précis.

Aimes-tu les viennoiseries ? Leur fabrication se rapproche de celle du pain, mais elles sont sucrées.

Du beurre dans une couche de pâte pliée, aplatie, puis repliée... Hop ! Dans cette pâte feuilletée, on découpe des triangles qu'on enroule. Ils donneront de beaux croissants.

La pâte de la brioche, elle,
est longuement pétrie. Ainsi,
elle emprisonne de l'air : mmm !
c'est comme manger un nuage.

À travers le monde, il existe une infinie variété de pâtisseries. Elles sont confectionnées avec des produits locaux, faciles à trouver sur place.

DÉGUSTATION DE ZLABIAS, M'HANCHAS ET BAKLAWAS

SERVEZ-VOUS

Les **gâteaux orientaux** contiennent du miel, des dattes, de la poudre d'amandes, de la fleur d'oranger... comme ces délices du Maroc et d'Algérie.

Stand
C 28

Salon de
la pâtisserie

Au **Japon**, on utilise des haricots rouges ou du riz gluant.
Ces gâteaux sont bien moins sucrés que les tiens.

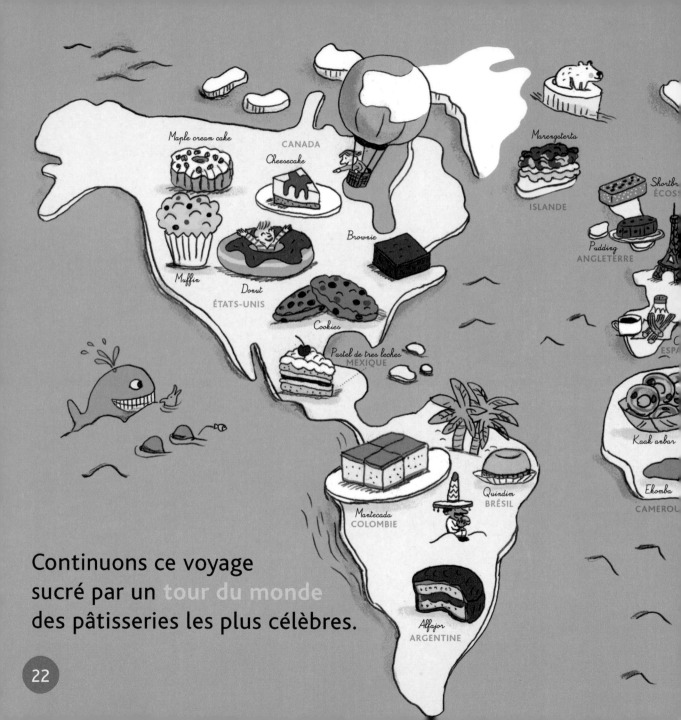

Maple cream cake

CANADA

Cheesecake

Brownie

Muffin

Donut
ÉTATS-UNIS

Cookies

Pastel de tres leches
MEXIQUE

Marengsterta

ISLANDE

Shortbr...
ÉCOS...

Pudding
ANGLETERRE

ESPA...

Kaak anbar

Ekomba
CAMEROU...

Mantecada
COLOMBIE

Quindim
BRÉSIL

Alfajor
ARGENTINE

Continuons ce voyage
sucré par un tour du monde
des pâtisseries les plus célèbres.

22

On aimerait bien goûter un petit bout de toutes ces spécialités, pas vrai ?

Koulitch

Forêt-noire
ALLEMAGNE

RUSSIE

Prianik

Smetannik

RICHE
Sachertorte

Kuymak
KAZAKHSTAN

Gâteau de lune
CHINE

re
IE

Basboussa

ÉGYPTE

Gulab jamun
INDE

Bonbons millet
RÉUNION

AUSTRALIE
ET NOUVELLE-
ZÉLANDE

Pavlova

Melktert

FRIQUE
U SUD

23

Pour régaler sa famille et ses amis,
tout le monde veut apprendre à cuisiner
des desserts. La pâtisserie est à la mode !

On peut échanger des recettes sur Internet,
en chercher de nouvelles dans des magazines
et des livres, participer à des ateliers...

Et même essayer de devenir un champion
lors d'un concours télévisé !

Ce monsieur, lui, est un célèbre chef, un génie de la pâtisserie !

VATEL

CARÊME

LENÔTRE

Il met au point de nouveaux gâteaux,
aux textures et aux parfums surprenants.
Qui veut goûter son croustillant pomme-cactus ?

26

Parce qu'un gâteau est agréable à regarder,
le chef pense aussi à la présentation de ses œuvres...
Eh oui, la pâtisserie, c'est tout un art !

Beaux et bons, les gâteaux apportent du plaisir.
Leur sucre donne de l'énergie à notre corps.
Mais il ne faut pas non plus en consommer trop,
car ils peuvent faire grossir et donner des caries.

Même si on adore la pâtisserie, on ne peut en **manger** qu'une petite quantité chaque jour... et juste un peu plus les **jours de fête**.

D'accord, les enfants?

Découvre tous les titres de la collection

Mes P'tits DOCS

La station de ski

Chez le coiffeur

Le chocolat

Le cinéma

Le vétérinaire

Les pirates

Le camping

Les animaux de la banquise

Tout propre !

À table !
Au bureau
Le bébé
Le bricolage
Les camions
Les Cro-Magnon
Les dauphins

Les abeilles

Les châteaux forts

Les chiens

Le jardin

Les poupées

Le cirque

Les Jeux olympiques

Les grands-parents

Chez le docteur

Les voitures

Les robots

Les chats

Les dents
Les dinosaures
L'école maternelle
L'espace
La ferme
La fête foraine
Le football

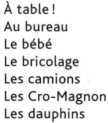